KB103615

겉으로 드러내지 아니하고 속에 간직한

겉으로 드러내지 아니하고 속에 간직한

발　행 | 2024년 05월 09일
저　자 | 함축
펴낸이 | 한건희
펴낸곳 | 주식회사 부크크
출판사등록 | 2014.07.15(제2014-16호)
주　소 | 서울특별시 금천구 가산디지털1로 119 SK트윈타워 A동 305호
전　화 | 1670-8316
이메일 | info@bookk.co.kr

ISBN | 979-11-410-8456-1

www.bookk.co.kr

겉으로
드러내지
아니하고
속에
간직한

함축

내 스스로가 왜 이렇게 불쌍한지.

나를 가엾이 여겨줬으면.

겉

매일 새벽에 일기를 쓰는 거 같다

뭐 어떤 가 쓰는 것에 의미를 두자

아 의미가 없구나

그냥 그러려니 하자.

기분이 오락가락 요동을 치는 날

나 조차도 어떻게 해야 할지 모르면서

누군가가 날 어떻게든 해줬으면 좋겠다는 생각을 한다

그 누구도 어떻게 해주지 못 하는 걸 알면서도 말이다

참 간사하다.

내가 만약같이 죽자고 했을 때

같이 죽자는 말도 좋지만

같이 살자고 그래 줬으면

그런 사람이 있었으면

꼭꼭 같이 살자고

아직 죽지 말자고

나중에 같이 죽자고 그렇게

그냥 그렇게 말해주는 사람이

응.

나는 네가 좀 필요한데

너는 어때?

나 왜 보러 왔어?

왜 조만간 또 와도 되냐고 물어봐?

왜?

너도 내가 필요해?

아니면 그냥 심심해서?

근데 있잖아 실은 우습게도

네가 어떤 이유든

나를 찾아주는 게 좋아

이런 내가 초라해서 죽고 싶다.

너한테 나는 이제 어떤 사람이야?

아직도 내가 소중해?

아직도 내가 마냥 예뻐 보여?

그랬으면 좋겠다

아직도 네가 너무너무 예쁜데

나만 그런 거 같아

어떡하지

이거 좀 슬프다

잘 자 예쁜아.

네가 재밌게 놀고 있는 이 순간에

나는 이렇게 조금씩 죽어 가

솔직하게 말하면

나만 이래서 조금 억울하다

너도 아프진 않더라도

괜히 신경 거슬리게

따끔 거리기라도 했으면 좋겠다

근데 이거 나쁜 거지?

안녕

난 너의 말투가 참 마음에 들어

너는 어떨지 모르겠지만

잔잔하게 대화하는 것도 좋아

툭툭 퉁명스럽게 던지는 말도 좋고

그러면서 또 왜 이렇게 다정하게 느껴지는지

뭔가 오랜만에 느끼는 거 같다고 해야 하나?

누군가가 이렇게 궁금해지는 것도 오랜만이네

일어나서 잠들 때까지 뭔가 기대돼

재밌다

고마워.

나는 나에 대한 애정을 있는 그대로 받아들이지 못한다

아마 나조차 자신을 사랑하지 않는데

타인이 나를 사랑한다는 게

믿기지 않는다고 해야 하나

애써 부정한다고 해야 하나

아무튼 이해가 가질 않는다

아니 받아들이지 못한다가 맞는 거 같기도 하고

사실 한편으로는 믿고 싶지만

무서워서

그 애정에 푹 젖어 들었는데

더 이상 젖을 수 없고

말라가야 하는 상황이 오면 그땐 어떻게 해야 할지

아무것도 못 할 나 자신이 보여서

지레 겁먹고 부정하고 의심하는 거 같다

차라리 스침을 사랑하는 사람이 되고 싶다.

무조건적인 사랑이 받고 싶다

내가 좆같다고 꺼지라고 해도

절대 안 꺼지고

내가 아무리 모진 말을 해도

그래도 내가 너무 좋다며

기생충 마냥 나한테 붙어서

절대 안 떨어지고

나 혼자 두고 어디 안 가고

그냥 그렇게 계속

내가 안심할 수 있게

존나 삐뚠 애정이라도

나는 그마저도 너무너무 필요한데

아 죽고 싶다.

장난기 많은 우리

실없이 픽 하고

웃어 보이고

비슷해진 말투

척하면 척인 게

이게 또 무지 웃겨

기분 좋아

아무것도 안 해도

그저 편하고 편해

그냥 그렇다고

보고 싶다.

보고 싶어 보고 싶어 보고 싶어

며칠을 못 본 건지 모르겠어

얼른 와 보고 싶으니까

너도 나 보고 싶다 했잖아

나도 너 보고 싶어

서로 보고 싶어 해서 다행이다

오랜만에 보면 어색할 거 같아

뭔가 긴장될 거 같달까?

너는 어떠려나 궁금하네

평소 같으려나?

아 몰라 웃는 거 보고 싶다

또 어디 가자

아냐 어디 안 가도 좋으니까

얼른 와서 같이 자자

사랑해.

내 몸엔 노이즈가 많다

볼 때마다

아 내가 이렇게 아팠구나

내가 이렇게 괴로웠구나

하는 생각을 한다

뭐가 그렇게 힘들었을까 아이야

언제쯤 너는 평안해 질까.

그저 별일 없는 하루하루를 보내고 싶은데

나는 그마저도 왜 이렇게 어려울까

다가오는 하루하루가 선물 같지는 않더라도

그저 잔잔하길 바랐는데

왜 나의 세상은 이리 시끄러운지

조용히 좀 해 봐 좀

아 내가 제일 시끄러운가

그러면 말이야

내가 닥치면

나만 조용하면

아무것도 하지 않으면

고요한 세상이 찾아올까?

야 너는 그런 생각 한 적 있어?

나 진짜 결혼 이런 거 솔직히

자신도 없고 능력도 안 되고

내가 못 하는 하면 안 되는 그런 거라고 생각했거든

근데 웃기게도 너랑 하는 결혼 생활은 어떨까 생각을 한 적이 있어

넌 있을지 모르겠지만 난 있어

좋을 거 같더라?

더 웃긴 건

너랑 내 사이에서 만약 아이가 태어난다면

널 닮았으면 되게 예쁘겠다 하는 생각도 한 적이 있어

내가 이런 생각을 했다는 건

아마 죽어도 말 못 할 거야.

아마 너도 잠시 옆에 머물다 갈 사람이겠지

그게 아니길 바라는데

난 사랑을 존나 못 해

너도 알 거라고 생각해

그니까 그냥 우리

같이 누워있다

뽀뽀나 하고

그러다 키스도 하고

하고 싶으면 섹스도 하고

끝나고 같이 담배도 피우고

머리 비우고 그냥 하고 싶은 대로 하자

그니까 있다가 같이 담배 피자.

잘 지내시나요?

전 뭐 그냥저냥

아니 사실 별로 못 지냅니다

당신은 잘 지내실 거 같네요

지레 짐작 이긴 하지만

저보단 잘 지내실 거 같아요

밥은 잘 챙겨 드시나요

전 다시 일상으로 돌아와서 잘 먹지 않습니다

여전히 전 당신 생각을 하고 있네요

언제까지 할지는 모르겠어요

당신도 아직은 제 생각이 문득문득 났으면 좋겠네요

너무 빨리 잊지 않으셨으면 좋겠습니다

따듯하게 입고 다니시고

이번 겨울 잘 보내세요

어쩌다 생각나면 연락 주세요.

영화를 보면서 마음에 드는 대사를 적는 걸 좋아한다

대사를 다시 읽으면 장면이나 상황 느낌 같은 게

다시 떠오르는데 그게 참 좋다

맡은 적도 없는 냄새가 나는 것만 같다

다시금 곱씹을 수 있어서 좋은 그런.

응 맞아 사실

나 표현 많이 하려고 노력하고 있어

무뚝뚝하고 잘 웃지도 않는데

너한테는 애교도 부리고

뭐가 그리 웃긴지 곧잘 웃어

넌 정말 너무 웃기고 귀여워

지금도 글 쓰면서 입꼬리가 올라간다

옆에서 자고 있는 널 슥 쳐다봤는데

잘 자고 있네 예쁘다

이불은 또 제대로 안 덮었네

넌 항상 이불을 걷어차서 혹시나 더운가 하고

그래도 감기 걸릴까 싶어 배만 덮어줘

오늘은 평소보다 기분 좋게 잠들 거 같아.

그니까

나 조금만 더 좋아해 주라

조금만 더 오래 머물러 있어 주라

내가 널 얼마나 많이 좋아하는지

네가 아는지 모르겠다

잘 자.

저 또한 별거 없는 저를 예뻐해 주셔 감사합니다

마음이 몽글몽글 한 게 기분이 좋네요

항상 알 게 모르게 챙겨주시는 것 또한 알고 있습니다

뭔가 익숙하지 않아서 어색하고

항상 주는 입장이었지

받는 입장은 아니었기에

뭔가 잘 모르겠지만

모쪼록 잘 부탁드립니다

오늘 하루도 고생하시고

파이팅.

얼른 집 가서 쥐 죽은 듯이 자야지

진짜 요절할 팔자인가.

잘 지내시나요

전 요즘 잘 지냅니다

잘 먹고

잘 잡니다

아마도

뭔가 변화가 생긴 느낌인데

썩 나쁘지 않은 것 같습니다

조금 불안하기는 하지만

그냥 한껏 즐겨보려고요

다들 어떤 형태로든

살아계시길 바랍니다.

답은 돌아오지 않았다

아마 계속 돌아오지 않을 거 같다

무슨 뜻인지 더 잘 알게 되었다

바보 같게도 몸소 겪어야 안다니

사실 머리로는 알고 있었지만

혹시나 하는 마음에 한 번 던져 보았다

잘 알겠습니다

감사합니다.

네가 나의 미래니

기억이니 세상이니 나발이니

뭐가 그렇게 거창해

온갖 수식어로 애써 꾸며봐야

겉은 화려할지언정

그 안은 쾨쾨한 냄새로 가득 차 있을 텐데.

다들 누가 그리 그리워서

수많은 글들을 쓰는 건지.

내 성격이 거지 같은 거 나도 알아

그래도 예쁘다고 예쁘다고 해주면 안 되나.

무조건 적인 사랑

이거

받을 수 있긴 한 건가?

이런 걸 바라는 내가

징그럽게 보이려나

맞지

징그럽지

징글징글 하지

진짜 징그러워.

너는 요즘 나 때문에 자주 우는데

어쩌지 어쩌지

네가 울 때마다

나는 내 팔을 칼로 찌르는 상상을 해

내가 너무너무 싫어지거든

너를 어떻게 해야 할까

나는 어떻게 해야 할까

이거 하나는 확실한 거 같아

항상 내 옆에 있는 사람들은

다 힘들어해

그니까 이게 뭐냐면

내가 문제라는 거야.

오늘 꿈에 너랑 헤어지는 꿈인가

아무튼 우리 사이가 좋지 못 한 내용에 꿈을 꿔서

자다 놀래서 깼는데

너무 불안해서 일어나자마자 너부터 찾았어

바닥에서 자고 있길래

너를 깨워서 침대로 오라고 말하고

침대로 오는 걸 본 후에

안심하고 바로 잠들었어

오늘 일어나서 생각하니까 참 웃기더라

요즘 싸우면 꼴 보기 싫다 네가 밉다 싫다 하면서

그런 꿈 하나 꿨다고

깨자마자 너를 찾는 걸 보니.

결핍이 많은 나를

채워줄 수 있는 사람을

원하고 찾는 게

잘못된 건가?

일찍 자야겠다

별의별 생각이 다 들어서

깨 있는 시간이 고통스러워

그러게 왜.

나는 사람을 지치게 만드는데 선수야

누군가는 감정 쓰레기통이 아니라고 하지만

그렇게 생각 한 적 없는데

그렇게 느끼고 보일 수 있겠구나 하고

생각이 들었어

어딘가에 내 감정을 솔직하게

토해내고 싶은데

나를 상처 입히는 방법 말고는 몰라

누군가 알려줬으면 좋겠다

뻔하디 뻔한

규칙적인 생활

취미 활동 만들기

운동하기

이런 거 말고

울음을 많이 참다 보니

어느 정도 눈물을 조절하는 요령이 생겼다

찔끔 눈물이 새어 나와도

슥슥 닦고

언제 그랬냐는 듯이

내가 해야 할 것 들을 한다.

요즘은 왜 이렇게 편지 한 장 받기가 어려울까

세상이 슬픈 건지 내 세상이 슬픈 건지 모르겠다.

외로운 인생이야

왜 자꾸 나는 외롭고 슬프고 힘들까.

예쁜 말을 한 아름 안겨주진 못 하는 사람

그 사람의 표현 방법은

여러 종류의 과일을

바리바리 사 들고 와선

먹으라고 주는 것.

날이 추워질수록

내 마음은 왜 이리 외로운지

계절을 따라가는 건지

추위가 짙어질수록

더 선명해지는 것뿐인 지

내가 타고나길 외로운 사람인가

아니면 다들 외로운 사람인 건가

당신들은 외로움을 어떻게 하나요

똑바로 바라보는지

모른 채 방치하는지.

속

전화가 왔다 최악이었다

심장이 마구 두근 됐고 화가 나고 억울하고 초라했다

내가 왜 이런 취급을 받아야 하나

내 기분이 쿵쿵 아래로 하염없이 떨어졌다

가장 큰 최악의 기억을 남기고 싶었다

꼭 유언장에 그 이름을 쓰자

가장 최악의 기억으로 아주 오래오래 남길.

누군가 옆에 있어도 느끼는 공허함은

아무도 채워줄 수 없는 건가?

거긴 어때? 따듯해?

여긴 많이 춥다

너무너무 많이 춥다

정말 많이.

+565

+2

내가 태어나지 않았으면 그랬으면 엄마도 좀 행복했으려나

이렇게 걱정시키고 마음만 문드러지게 만드는 딸인데

그럼에도 불구하고 자꾸 상처 줘서 미안해

그냥 나 버리고 잘 살지

내가 따라가서 미안해 미안해.

사랑 같은 거 그런 거 뭔지 이젠 잘 모르겠다

내가 좋아 죽겠다고 없으면 안 된다고

제발 나 버리지 말아 달라고 그러는 게

난 사랑인 줄 알았는데

여태 불타 서로를 다 태워 없애버리는 사랑을 해서 그런가

내가 하는 사랑은 사랑이 아닌가?

제발 나 좀 봐 달라고

애원하면서 구차한 그런 모습에

나는 예뻐 죽겠다고 죽겠다고

가끔은 정말 죽이고 싶기도 한 그런.

우리 이제는 서로 그만 찾자

잘 지내 그래도 가끔은 내 생각 해줬으면 좋겠다

자주 우는 일이 없었으면

애정 하면서도 많이 미워해.

요즘 당신 생각이 자주 나네요

좀 힘들어서 생각이 나는 건가

힘든 이유는 모르겠지만요 잘 지내세요?

잘 지냈으면 싶기도 하지만

조금은 나로 인해 힘들었으면 하는 마음들이 있어요

이기적이어서 미안합니다

끼니는 잘 챙겨 드시나요?

전 여전히 잘 먹진 않지만

나름 챙겨 먹으려고 해요

부쩍 추워졌어요

감기 조심하시고 무탈하세요

오늘은 여기까지만 쓸게요.

제가 그랬었잖아요 좋아하고 사랑하고 그런 거

우린 하지 말자고

그 말 괜히 했나 봐요

이럴 줄 알았으면 그런 말 절대 안 했을 텐데

거긴 좀 어때요? 날씨가 좋나요?

너무 춥고 어두운 곳으로 갔으면 어쩌나 걱정이 돼요

한동안 제 일기는 당신 얘기로만 가득 차겠네요

보러 가지 못해서 미안해요

정말 미안해요 그냥 다 미안해요

우리 다시 만나는 날 그날이 오면 웃으면서 반겨줘요

몇 번을 물어봐도 대답을 들은 순 없겠지만

자꾸 묻고 싶네요

지금껏 지나쳐온 누구보다도

제일 많이 사랑했어요 정말로 정말로요

혼자 쓸쓸하게 보내서 미안해요 보고 싶어요.

+569

+6

내가 무슨 말 하려는지

너만 알겠다 그치?

당연히 너만 알지

너랑 나만 아는 건데.

+578

+15

한 달이 넘었네 시간은 어쩔 수 없이 가네

꿈에 너 나왔었다?

현실이랑 구분이 안 가서 네가 먼저 떠난 게 거짓말 같더라

난 아직도 실감이 나지 않아

네 생각 안 하려고 엄청 애쓰는 중이야

일기도 안 쓰고 책도 안 읽고 우울한 노래도 안 듣고 있어

난 이렇게 발버둥 치면서 사는 중이야

봐 지금도 이렇게 일기 쓰면서 울잖아

아직도 괜찮지 않아 너는 좀 어때?

물어봐도 돌아오는 대답은 없지만.

+600

+37

그냥 갑자기 네 생각이 나서

우리 꼭 나중에 다시 만나자?

그때는 이렇게 힘들고 아프지 말자

응 그때는 우리 꼭 그러자 꼭.

+611

+48

우리 여름에 만났잖아 그때 너 되게 예뻤다?

사실은 원래도 예뻤어 아마 지금도 예쁘겠지

그거 알아? 내 여름은 온통 너야

그래서 너 없이 다가올 여름이 조금은 무서워

8월 11월 12월 2월

앞으로 내가 꾹 참고 너 없이 보내야 할 날들이야

어디서 봤는데

대신 죽어주는 것보다 대신 살아주는 게 더 힘들대

근데 진짜 그런 거 같아

네가 보내지 못 한 날 들을 내가 보내볼게

네가 나한테 행복하라고 했잖아

응 행복해 볼게 그러고 나중에 꼭 다시 만나자

그땐 응 그땐 꼭 그러자 우리

+615

+52

나 없으면 안 된다고 죽을 거라고 죽겠다고 죽겠다고 하고

정말 그렇게 가 버리면 난 앞으로 살아 있는 동안

너 생각을 죽을 때까지 하다 가겠다

왠지 너는 내가 이러는 걸 나름 만족스러워할 거 같은데

맞아?

+618

+55

또 네 생각이 나서 요즘 자주 네 생각이 나네

네가 갔을 때만 해도 꽤 많이 추웠는데

요즘은 낮에 되게 따스해

그래서 눈 감고 가만히 있으면

괜스레 기분이 좋아지는 것만 같고 그래

분명 같이 느꼈었던 건데

다시 한번만 아무것도 안 하고 가만히 햇빛 받으면서

앉아서 그렇게 그렇게 잠시라도 같이 있고 싶다.

+620

+57

대신 살아주는 거 이거 너무 힘들다

그래도 내가 생각하는 너는

여전히 예쁘고 사랑스럽고 밝다 못해 하얗고 하얀 사람이야

아무래도 나는 널 미워하거나 원망하거나 싫어할 순 없나 봐

지금도 이렇게 많이 보고 싶은 걸 보니

너는 잘 지내려나

요즘 부쩍 많이 더워졌어

너랑 나랑 처음 만났던 날도 이젠 그렇게 멀지 않았어

조금만 천천히 왔으면 좋겠다.

+628

+65

이 일기장에 네 이름을 쓰지 못하겠어.

+630

+67

오늘 무지 덥다

여름이 오고 있긴 한가 봐

8월이 오면 너무 많이 슬프겠다

어떡하지.

+649

+86

어디 하나 마음 둘 곳이 없는 나는

이렇게 혼자 쓸쓸히 시들시들 앓다 죽어 가겠지

나한테 참 잘 어울리네

그렇게 아무에게도 피해 주지 말고

아주 조용히 숨죽인 채로 죽어가렴

천천히

천천히

천천히

적막하게.

분명 "아 25살에는 꼭 죽어야지"라고 생각하고 있었는데

간사하게도 26살이 되어있는 나는

꾸역 꾸역 어떻게든 살아가고 있다

이번에는 꼭 30살에는 죽어야지.

나 아직 좋아하지?

나 아직 사랑하지?

조금이라도 남아 있지?

그래야 하는데

아니면 어쩌지

아니면 어쩌지

나 사실 엄청 불안해

넌 모르겠지

당연히 모르겠지

몰라야지

나는 그냥 네가 조금만

더 오래 머물러 줬으면

그날 울면서 한 말 진심이야

젖은 고백이었어

넌 알아?

너무 잘 해 주셔서

가끔은 그냥 울고 싶어집니다

이렇게 과분하게 받아도 되나 싶은 생각에 말이죠

있는 그대로 받아들이려고 하는데

사실 좀 많이 어려워요

그래도 익숙해지지 않고

항상 감사하게 생각하려 합니다

지금 당장 해 드릴 수 있는 게

초라하게도 이렇게 별 탈 없이 지내는 것 말곤

보답해 드릴 수 있는 게 없어서 많이 속상합니다

어떻게든 열심히 살아볼게요

든든하게 옆에 있어주셔서 감사합니다.

얼굴 마주 볼 때마다

이 형용할 수 없는 기분이 뭔지 잘 모르겠어요

분명 좋은데

내가 가진 게 아닌 것 같은?

온전히 내 것이 아니고

뭔가 억지로 뺏어온 느낌?

이질감? 뭐라고 해야 하지

이게 맞나?

왜 내 옆에 있지?

왜지?

왜요?

왜 때문에요?

이해가 안 가요

왜 제 옆에 계세요?

오늘 너 없이 보내는 우리가 만난 지 2년째 되는 날이야

엄청 많이 보고 싶다

나는 가끔 네가 나오는 꿈을 꿔

반년이 딱 지났는데도 아직도 실감이 안 나서 그런가 봐

어때 넌 잘 지내? 여긴 무지 더워

우리가 처음 만난 날에도 이렇게 더웠었는데 거긴 어떠려나

잘 모르겠다 정말 많이 보러 가고 싶은데

어디인지 몰라서 갈 수가 없어 미안해

그리고 다음에 꿈에 나올 땐 그런 꿈 말고

너 얘기 듣는 꿈이었으면 좋겠다

항상 하는 말이지만

나중에 꼭 다시 만나자 잘 자.

+732

+169

아가 안녕 오랜만이야 잘 지내?

여긴 여름이 끝나가는 거 같아 알지? 내 여름은 온통 너인

넌 좋겠다 누군가의 한 계절을 몽땅 다 차지했으니까

올해 여름은 뭔가 빨리 지나가는 기분이야

곧 가을이 스쳐 지나가고 시린 겨울이 오겠지

그럼 내가 싫어하는 날이 올 텐데

벌써부터 끔찍하다 정말 싫어

그래도 어찌어찌 버텨볼게 아직은 만날 수 없으니까

그래도 금방 다시 만날 수 있을 거야

조금만 나중에 있다가 보자

이게 어울리는 말인지 모르겠지만

사랑해 그날 빈말 아니었어

잘 자.

+750

+187

넌 내가 없어서 죽었고 나는 네가 없어서 대신 살아주고

이거 진짜 힘들다 알아?

정말 넌 나한테 한없이 몰강스럽구나

내 생각 조금이라도 해주지

요즘은 꿈에 안 오더라

왜 안 와

아니다 어쩌다 생각나면 찾아와

그래도 헷갈리게는 하지 말자

꿈이랑 현실이랑 구분이 안 돼

요즘 좀 쌀쌀해졌어

여름이 끝나가

네가 끝나가는 거 같아

겨울에 또 찾아와.

+757

+194

넌 끝까지 나에게 너를 남기고 갔구나

오늘 처음 알았어

난 너의 번호가 바뀐 줄 몰랐는데

내 카톡에 너는 여전히

너의 사진이 그대로 있는데

일부러 그랬어?

평생 그렇게 널 나에게 남겨둔 채 있도록?

내가 대화 방 못 지울 거 너 알았지?

진짜 너는 진짜 이기적이야

이렇게 나에게만 남겨두고 가면

이걸 오늘 알게 된 나는

나는 어떻게 하면 좋을까

너는 진짜 내 정서에 너무 안 좋아.

+771

+207

안녕

너에 대한 글을 쓰는 건 오랜만인 거 같네

잘 지내?라고 해야 하나 잘 쉬고 있냐고 해야 하나

아니면 이젠 평안하냐고 물어야 하나

사실 어떤 식으로 물어보든 돌아오는 답이 없는 건 똑같지만

여긴 갑자기 아주 많이 추워졌어

거긴 어떠려나

따뜻했으면 좋겠다 너무 덥지는 말고

우리 작년 크리스마스에는 뭐 했더라 기억이 잘 안 난다

이건 좀 속상하네 조금씩 흐려지는 기억이 서글퍼서

나는 꼭 네 생각을 할 때마다 없는 계절을 데려오는 거 같아

우리 이번 겨울에는 공평하게 앓을까

내가 더 많이 앓을 거 같긴 하지만.

+877

+313

저번달에 잊어서 미안해 내가 요즘 살 만하긴 한가 봐

내가 그날을 잊고 말이야 나쁘다 그치?

어느 순간 보니 지나 있더라 지난 거 알고 많이 놀랐어

1년이 길진 않은 시간인데 그새 잊고 지나쳐버려서 미안해

그래도 매일매일 너를 생각하지는 않지만 자주자주 생각해

너무 섭섭해하지 말아줘 내가 나름 잘 지내고 있다는 거니까?

이제는 너의 이름을 입 밖을 뱉고

너와 지내왔던 날들을 회상해도

예전처럼 숨이 턱 막혀 오지는 않아

물론 씁쓸한 건 어쩔 수 없지만

어차피 우린 나중에 다시 만날 거잖아 그치?

곧 봄이 오는 거 같아 이젠 많이 춥지 않아

너무너무 많이 추웠는데 요즘은 꽤 따듯해졌어

그렇다고 나 너무 미워하지 말고 이젠 응원해 줘

나중에 만나면 너무하다고 하는 거 아닌지 모르겠다

벌써 투정 부리는 모습이 그려지는데 웃음이 나온다

내가 많이 받아들이기는 했나 보다

너 생각하면서 웃기도 하고

조금만 기다려 금방 다시 보자.

+946

+383

웃는 모습이 그렇게 환할 수가 없었어

다시금 너처럼 환 한 사람을 볼 수 있을까 할 정도로 말이야

너는 알려나 네가 날 보며 짓는 표정들에

진짜 나를 좋아한다고 알 수 있을 정도로

나에 대한 감정들이 넘쳐 흘렀던 거

온몸으로 내가 너무 좋다고

말하는 것처럼 꼭 들리는 것만 같았어

그냥 날씨가 갑자기 추워지니까 생각나서

넌 내가 이렇게 너에 대한 글을 쓰는 걸 알려나

아마 모르겠지? 나중에 만나면 보여줄 순 있나

보면 무슨 표정을 지으면서 어떤 말을 해 주려나

음 나는 잘 지내 좀 춥기는 한데 따듯해지려고 노력 중이야

항상 따듯했으면 좋겠는데 그게 좀 어렵네 빨리 만나고 싶다.

+959

+396

여긴 봄이 코앞으로 다가왔어

벚꽃이 피는 거 같더라

얼른 보러 가야겠다

너한테 너무 보여주고 싶거든

보여줄 방법은 없지만

그래도 보여주고 싶어

너는 이미 봤을 수도 있겠구나

만약 봤더라도 또 봐줘

다시금 말갛게 웃던 얼굴이 보고 싶다.

+973

+410

곧 1000일이야

아직도 혼자 너와의 만남을 이어가고 있어

예전에는 널 생각하면 너무 아팠는데

지금은 아릿하긴 하지만

더 이상 울진 않아

바뀌는 계절마다

너를 추억할 수 있을 만큼.

+974

+411

너의 동영상을 보는데

웃음이 나와서 웃다가

팍하고 눈물이 터지길래

아, 내가 다 괜찮아진 게 아니구나

화면 속에서 웃고 춤추고 있는 널 보고 있는데

네가 이젠 없는걸 알면서도

그게 다 거짓말 같더라

지금도 나는 너를 많이 그리워해

앞으로도 그러겠지만.

+981

+418

바삐 살다 보니

글을 안 쓴 지 꽤 됐네

그래도 네 생각은 틈틈이 나더라

좀 지나면 너랑 나랑 처음 만난 8월이 와

너를 참 보러 가고 싶다가도

용기가 안 나서 못 가고 있어

섭섭해하려나

모르겠네.

+1051

+488

다시금 돌아온 너와 처음 만난 날에

난 고마운 사람과 좋은 하루를 보냈어

이래도 되나 싶어서 마음 한편이 불편했지만

이렇게 조금씩 너를 비워내야지

그렇다고 너를 잊겠다는 건 아니야

이젠 가끔가끔 너의 생각을 해

네가 알고 있을지는 모르겠지만

나는 잘 지내려고 하고 있어

아직도 여전히 힘들지만

그래도 무너지지 않으려고 애써

그때와는 좀 다른 모습이야

어떻게든 살아가고 있거든

너도 그랬으면 좋았을 텐데 하는.

+1107

+544

이젠 숨을 쉬면 공기가 날카로워 곧 겨울이 온다는 거겠지

내년이 오면 너 없이 보내는 2번째 겨울을 맞는구나

넌 어떠니 여전히 내 생각을 할까

나는 여전히 네 생각을 해

가끔가끔 아주 짧게 스치듯

그때 이후로는 네 꿈을 꾸질 않아

아마 좀 괜찮아진 거 같아

스스로 괜찮아졌다기보단

정말 시간이 지나니 무덤덤해지는 거 같아

그렇다고 널 잊지는 않을 게

내가 널 어떻게 잊겠어

그치?

+1193

+630

너처럼 도망가면 좀 편할까 너 보러 갈까 너 따라갈까

어떻게 해야 할까 너는 어때 그 선택에 후회는 없어?

네가 정말 대단한 사람이었구나! 느끼는 오늘이야

아마 너도 내가 망친 사람 중 한 명이 아닐까

나를 만나지 않았으면 그런 일은 없지 않았을까

난 아직도 의문이 들어 나 때문이 아니었을까

나를 만나지 않았으면 그렇게 되진 않았을 텐데 하면서

나를 만나는 사람들은 혹시

전생에 죄가 컸던 사람들이 아니었을까?

나를 만나 그렇게 고생 고생 개고생을 하고 나면

죄가 좀 지워지는 건가 무슨 죄를 지었길래 나를 만났니

어떻게든 도망갔어야지 아무리 잡아도 끊고 도망갔어야지

미련한 사람아 훨훨 날아가라 훨훨 따라잡을 수도 없을 만큼.

+1214

+651

날이 추워질수록

내 마음은 왜 이리 외로운지

계절을 따라가는 건지

추위가 짙어질수록

더 선명해지는 것뿐인지

내가 타고나길 외로운 사람인가

아니면 다들 외로운 사람인 건가

당신들은 외로움을 어떻게 하나요

똑바로 바라보는지

모른 채 방치하는지.

누군가에게 내 이름은 어떻게 불리려나

그때 걔

그때 그런 애

우울한 애

상처가 많은 애

손이 많이 가던 애

불쌍한 애

피곤하게 했던 애

지겹게 하던 애

짜증 나던 애

어디선가 나를 그렇게 부르고 있으려나

그 사람들에게 내 이름은 사라졌을까?

아니면 내가 지워버린 걸까.

다시금 겨울이 왔어

오지 않을 줄 알았던 겨울이 왔어

이게 얼마나 큰 의미인지 알려나

겨울이 왔다니까?

이러고 있을 시간이 없다고

겨울이 왔다고

겨울이.

원래 내 감정은 못생겼는데

네가 착해 빠져서 예쁘게 봐줬던 거지

이제야 내 감정이 못생긴 걸 알고

못난 사람인 걸 알았으니까

그래서 그런 거지

원래 이게 맞는 건데

애써 모른 척하고 있던 거야

알면서도 모르고 싶었으니까

감추지도 않은 주제에

네가 평생 몰랐으면 싶었어

아니 알려고 하지도 않았으면 싶었어

그렇게 속아서라도 옆에 있었으면 했으니까.

열이 난 건

어제 너무 추워서

너무너무 추워서

그런 거야

진짜 너무 추웠거든

너무너무 차가웠어.

다 문드러져 가

곪아 터지겠다

같이 곪아가네.

토출

근래 생각이 좀 많다

굉장히 쓸쓸하다

가을 타고 그런 건 아닌데

애인과 나의 관계에 대한 생각이 많다

지금 이 관계가 맞는 건지

이게 뭔지 잘 모르겠다

아 뭐 어떻게 되겠지

애정이 참 고프고

사랑받고 싶다

내가 문제인가

그냥 콱 죽어버리고 싶네.

아 죽고 싶다

괴리감이 든다

뭐 하는 거지 나

진짜 한심하다

머리가 터질 거 같다

이럴 때마다 몇 번씩이고

내 머리가 터지는 상상을 한다

터진다

펑

빨리 자야겠어

자고 일어나면

아무것도 아닌 게 되니까

씨발 좆같네 진짜.

살아야 하는 이유를 모르겠다

이것도 저것도 다 재미없어

다 똑같고 똑같고 똑같고

허울뿐인 말 들

텅텅 비어있어

텅텅

아무것도 없어

애초에 가져 본 적도 없었네

무언가 가진다는 건 뭐지

가져 본 적이 있어야 알지

허망하다

무탈하세요.

별로 느끼는 감정이 없다

그래서인지 쓸 말 또한 없다

그냥 정신 나갈 정도로

섹스나 질펀하게 하고

뻗어서 자고 싶다.

나에게 실망하는 것조차도 지쳐서 하고 싶지 않다.

아저씨 아저씨는 제 어디가 그렇게 좋았어요?

어디가 그렇게 좋았길래

주변은 돌아보지도 않고 나만 보면서 걸었어요?

아직도 생각하면 신기해요

또 만날 수 있을까요

나만 하염없이 바라보면서 걷는 사람을.

곧잘 싫증 내고

그러다 보면 재미가 없고

지겨워지고

헤어지고

금방 새로운 사람은 만나고

헤어지고

만나고

헤어지고

만나고

짧고 얕은 애정이라도 받고 싶었어요.

좀 긍정적으로 열심히 살아보려 했는데

내 인생 존나 불우해.

내가 또 미쳐서

이번엔 다르겠지 다르겠지

지랄하고 있네 다르긴 개뿔

어차피 날 사랑해 줄 사람은 없는데

혹여나 있지 않을까 하는 희망을 왜 가져선

자꾸 이렇게 망가지는지

지쳐서 죽고 싶다

나한테 내가 지친다 정말 지친다

이제는 좀 쉬고 싶어

사랑이고 나발이고 씨발

그냥 영영 쉬고 싶다

다 관두고 죽어버릴까.

나 어떡하지

저 어떻게 해야 해요?

좀 살려주세요

지금 어떻게 해야 할지

하나도 모르겠어요

누가 정해줬으면 좋겠어요

제발 나 좀 어떻게 해 주세요

부탁드려요

저 지금 진짜 죽을 거 같거든요

제발 저 좀 살려주세요

제발요 제발

부탁이에요.

이번 유서에는

이전에 적었던 내용들이랑은

좀 다른 내용들을 적었는데

한 자 한 자 써 내려가면서

많이 슬프더라고요

그래도 쓰고 나니

마음이 한결 편하네요

좀 잘게요

푹.

뭐 대단한 거 바란다고

존나 야박하네

그런 걸 변했다고 하는 거지

진짜 기분 거지 같네

그렇게 살 거면

그냥 혼자 살지

내가 뭘 그렇게 잘못했다고

사람 괴롭히는 것도 아니고.

나는 정말 못 된 거 같아

이기적이고 내가 제일 아프다고

빨리 보살펴 달라고

신경 써 달라고

관심 달라고

아껴 달라고

안아 달라고

나 좀 걱정해 달라고 발악을 해

이렇게 구걸해서 받는 감정이라도

좋다고 좋다고 좋다고

뭐가 사랑인지 뭔지 아무것도 모르면서

그저 좋다고 웃기나 하고 말이야

그냥 얼른 죽어버리렴.

2년 만에 다시 돌아와 버린 나

노이즈를 잔뜩 만들어버리곤

그래도 기분이 풀린다고 생각하며

이제 모르겠다

내가 또 엉망진창으로 망가지는 건가.

혼자서 이겨 내봐요

씨발 인생은 개 좆같이 혼자니까요

아무리 거지발싸개 같아도 이겨 내봐요

흑흑 흑흑 흑흑 흑흑

찐따같이 혼자 쳐 울어도

꼭 이겨내 봐요

개 씨발.

나 한 번만 만나줘요

그게 그렇게 어려워요?

딱 한 번만 만나줘요

어리광 부려서 미안해요

너무 보고 싶어서 그래요

한 번만 만나주세요.

주말에 다시 얘기하자고 했잖아요

오늘이 주말인데 언제 볼 거예요?

우리 보는 건 맞아요?

나 가만히 기다리고 있어요

강아지처럼 기다리고 있다고요.

제발 관심 좀 주세요

다른 사람들 관심 말고

당신 관심이 너무 필요해요

조금이라도 좋으니까

나 좀 신경 써줘요

응?

당신이 두고 간 노트북을 켜서

감히 글을 쓰고 있어요

이 노트북처럼

저도 두고 간 건가요

찾으러 오길 기다리고 있어요

찾으러 오실 거죠?

쏟아내듯 하고 싶은 말은 많은데

온갖 말들이 내 머릿속을 뒤죽박죽으로 만드니

제대로 하고 싶은 말을 전달하지도 못하고

병신도 아니고 말이야 진짜 한심해.

술을 마시고 약을 먹고

속이 엉망진창이 되는 걸 알면서도

이렇게라도 하지 않으면 안 될 거 같아서

나 좀 어떻게 해 주세요

할 줄 아는 게 이런 거밖에 없어요.